BILLY SE BILE

ISBN 978-2-211-09079-7
Première édition dans la collection « lutin poche »: janvier 2008

Titre de l'édition originale : « Silly billy » Walker Books Ltd (87 vauxhall Walk, London SE11 5H)
Loi numéro 49 956 du 16 juillet 1949 sur les publications
destinées à la jeunesse : septembre 2006
Dépôt légal : juillet 2017
Imprimé en France par Clerc SAS à Saint-Amand-Montrond

Anthony Browne

BILLY SE BILE

kaléidoscope
les lutins de l'école des loisirs
11, rue de Sèvres, Paris 6e

Billy se faisait facilement de la bile.

Beaucoup de choses l'inquiétaient,

les **chapeaux** par exemple,

et puis les **chaussures**,

et les **nuages**

et aussi la **pluie**.

Billy se tracassait même à cause
des **oiseaux géants.**

Son papa essaya de le rassurer.
« Ne t'inquiète pas, fiston », dit-il.
« Tu ne risques vraiment rien. Tout cela
n'existe que dans ton imagination. »

Maman essaya à son tour.
« Ne t'inquiète pas, mon amour », dit-elle.
« Nous sommes là pour te protéger. »

Mais Billy s'inquiétait quand même.

Une nuit, il dut aller
dormir chez sa mamie.
Billy ne parvenait
vraiment pas
à trouver le sommeil.
Il était trop inquiet.
Il se faisait encore plus
de bile quand il dormait
chez les autres, toujours.
Billy se sentait
un peu ridicule,
mais il finit par sortir
de son lit pour aller
en parler à sa mamie.

« Mais non, mon amour,
tu n'es pas ridicule » dit-elle. « Quand j'avais
ton âge, moi aussi, je m'inquiétais comme ça.
J'ai exactement ce qu'il te faut. »

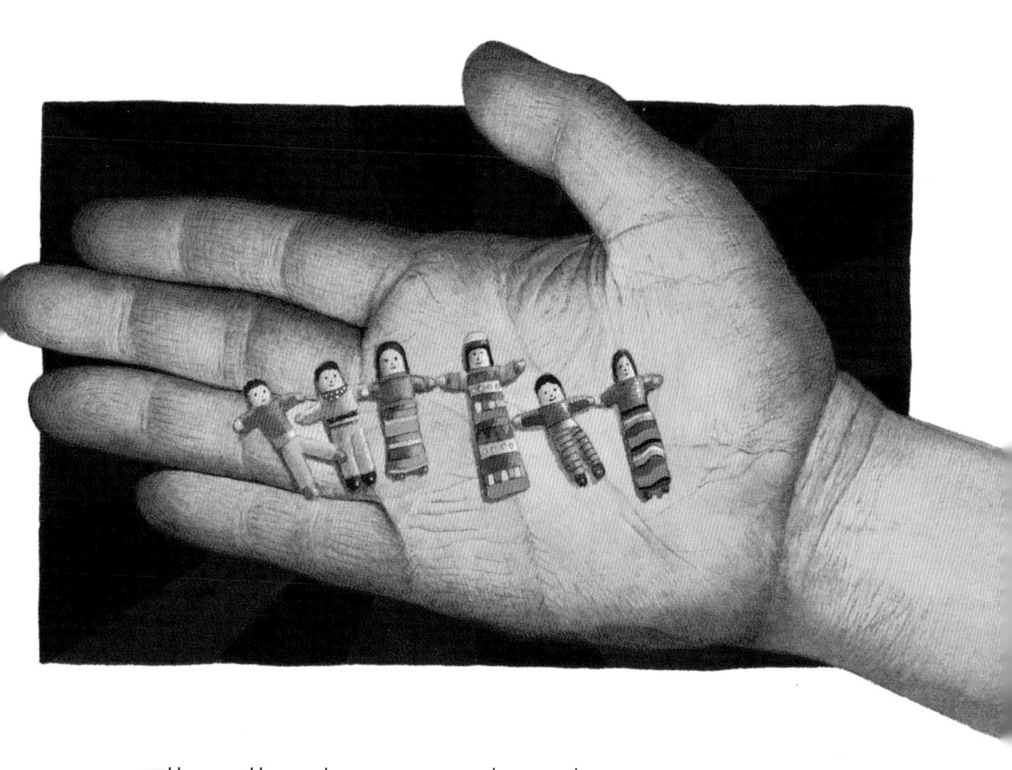

Elle alla dans sa chambre et revint
avec des figurines dans la main.
« Ce sont des poupées-tracas », expliqua-t-elle.
« Tu confies à chacune une inquiétude, puis
tu les glisses sous ton oreiller.
Et elles s'inquiéteront à ta place
pendant ton sommeil. »

Billy raconta tout ce qui le tracassait
à ses poupées-tracas.
Il dormit comme un loir.

Le lendemain matin, Billy rentra chez lui.
Quand vint la nuit, il raconta de nouveau
tout ce qui le tracassait à ses poupées.
Il dormit comme une marmotte.

Il dormit comme une souche la nuit qui suivit,
et celle d'après aussi.

Mais la nuit d'encore après,
Billy recommença à **s'inquiéter.**

Il n'arrêtait pas de penser aux poupées
– à tout le **tracas** qu'il leur avait donné…
Elles devaient tellement se tracasser.
Ce n'était pas juste.

Le lendemain,
Billy eut une idée.
Il passa la journée
entière à travailler
sur la table
de la cuisine.
C'était un travail
difficile, il fit
beaucoup d'erreurs
et dut s'y reprendre
à plusieurs fois.

Mais finalement,
il réussit à fabriquer
quelque chose
de tout à fait
étonnant :

des poupées-tracas pour les poupées-tracas !

Cette nuit-là, TOUT LE MONDE dormit
merveilleusement bien,
Billy, et toutes les poupées-tracas.

Depuis, Billy ne se fait plus du tout de bile.

Et ses amis non plus…
Billy leur a fabriqué
à TOUS
des poupées-tracas.

Les poupées-tracas viennent du Guatemala, en Amérique centrale.
C'est là que des enfants se sont mis à les fabriquer, il y a très longtemps,
à partir de petits morceaux de bois, de minuscules bouts de chiffons
et de brins de fil. À l'heure du coucher, ils confiaient chacune
de leurs inquiétudes à chacune de ces poupées, les glissaient
sous leurs oreillers, puis s'endormaient. Et lorsque les enfants
se réveillaient, ce qui les tracassait s'était envolé.

Aujourd'hui encore, les enfants guatémaltèques
se reposent toujours sur leurs poupées-tracas
pour qu'elles les délivrent de leurs inquiétudes pendant leur sommeil
et cette coutume s'est répandue à travers le monde entier.